S0-CCM-966

léa quichon
virgile quichon
rachid quichon
cléo quichon
gaëtan quichon
philippe quichon
sylvie quichon
elsa quichon
claude quichon
annabella quichon
fatoumata quichon
cyril quichon
lucette quichon
stéphanie quichon
patrick
baboussia quichon
guershom quichon
raphaëlle quichon
marvin quichon
yoko quichon
guillaume quichon
rita quichon
jean-françois quichon
viviane quichon
stella quichon
diane quichon
paolo quichon
khaïm quichon
mickey
pervenche quichon
loujaïne quichon
kenbougoue quichon
gary quichon
buster quichon
sébastien quichon
théodora quichon

perceval quichon
marlaguette quichon
jon quichon
billy quichon
camille quichon
david quichon
isaac quichon
enriquetta quichon
dominique quichon
marie-ange quichon
tristan quichon
anna quichon
zachary quichon
iris quichon
babakar quichon
olive quichon
florence quichon
édith quichon
carole quichon
mica quichon
hermès quichon
nge quichon
noémie quichon
henri quichon
sacha quichon
gwendoline quichon
marthe quichon
bertrand quichon
the quichon
vladimir quichon
gloria quichon
rabiatou quichon
shirine quichon
casimir quichon
pierre-émilien quichon

ISBN 978-2-211-20269-5


Loi numéro 49 956 du 16 juillet 1949 sur les publications
destinées à la jeunesse : avril 2009
Dépôt légal : mars 2011
Imprimé en France par CPI Aubin Imprimeur à Ligugé

anaïs vaugelade

# DANS LES BASQUETTES DE BABAKAR QUICHON

l'école des loisirs

« À vos marques : PRÊTS, FEU…

PAT PAT
HOP
PAT PAT PAT
POC POC
HOP
PAT
chpouch
roule roule roule
roule
TAP TAP TAP
TAP
TAP
ouip
tum
sif sif sif
HOP


… PARTEZ ! »

Personne n'a d'aussi fantastiques basquettes que Babakar Quichon. Ce sont des basquettes ultrarapides, elles font de Babakar le cochon le plus rapide de la Création.

Plus rapide que ses frères, plus rapide que ses sœurs, plus rapide que Papa ou Maman Quichon. Plus rapide que le lion de Stéphanie.

Est-ce parce qu'elles sont rouges que ces basquettes sont fantastiques ? Ou bien, est-ce parce que ce sont celles de Babakar ? En tout cas, Babakar Quichon dépasse tout le monde.

Il dépasse même le paysage, tellement il est rapide.

Il dépasse le son,

il dépasse la lumière.

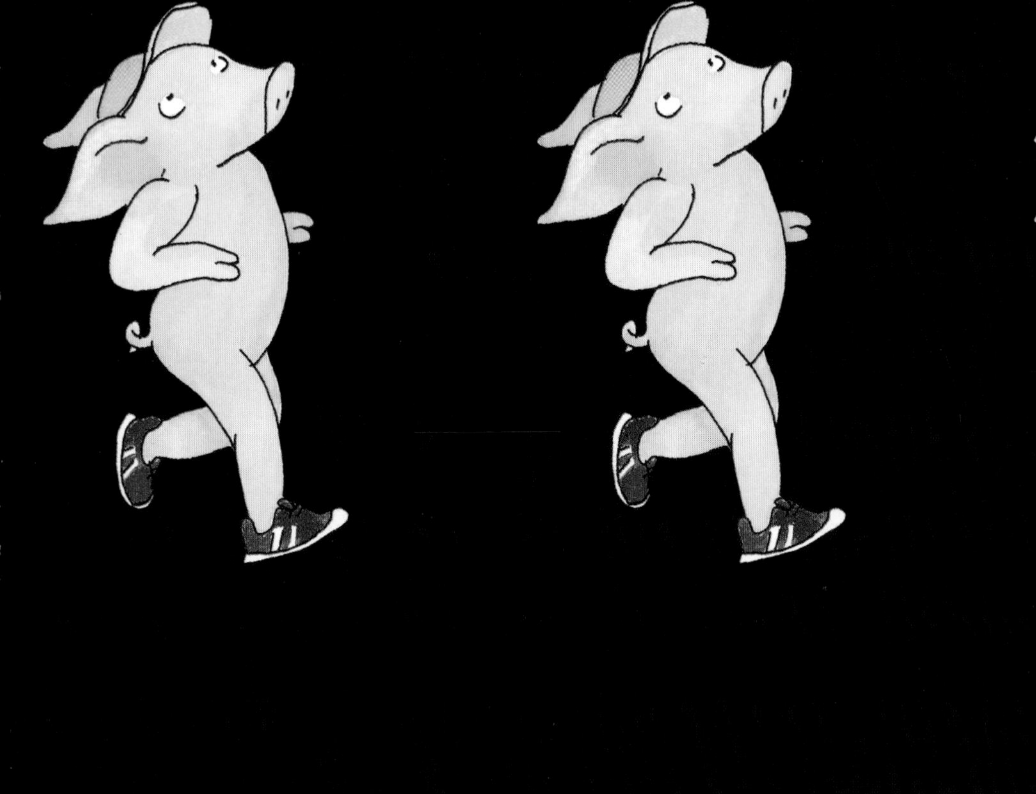

Il dépasse l'espace et le temps.

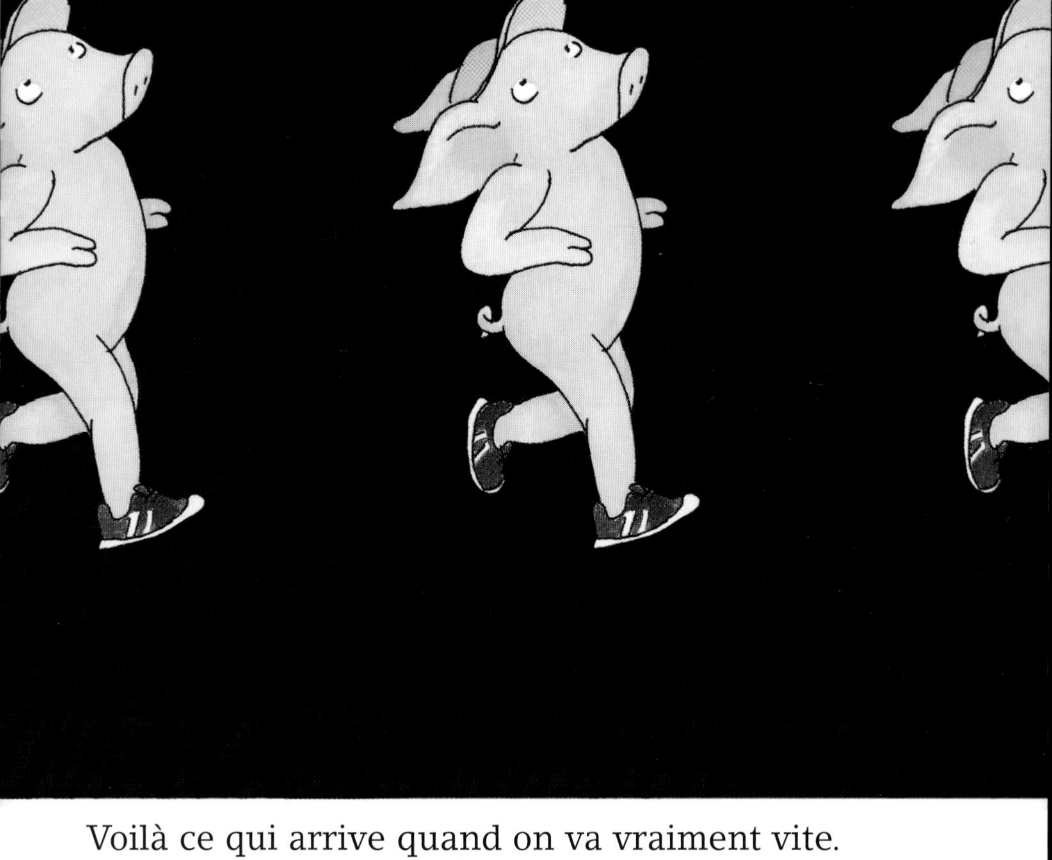

Voilà ce qui arrive quand on va vraiment vite.

En fait, il n'y a que Babakar Quichon lui-même
qui soit aussi rapide que Babakar Quichon.

Alors, Babakar Quichon enlève ses basquettes.

Il attend le temps,
il attend l'espace.

Il attend la lumière.

TAP TAP TAP TAP TAP

Et il attend le son.

Voici le paysage, voici la ligne d'arrivée.

Et voici Stéphanie à cheval sur son lion.

Et voici les frères, les sœurs, et Maman, et Papa Quichon ; tout le monde est très essoufflé…

… Mais c'est Babakar Quichon qui a gagné !

léa quichon
virgile quichon
rachid quichon
cléo quichon
gaëtan quichon
philippe quichon
sylvie quichon
eloa quichon
claude quichon
annabella quichon
fatoumata quichon
cyril quichon
lucette quichon
stéphanie quichon
patrick
baboussia quichon
guershom quichon
raphaëlle quichon
marvin quichon
yoko quichon
guillaume quichon
rita quichon
jean-françois quichon
viviane quichon
stella quichon
diane quichon
paolo quichon
khaïm quichon
mickey
pervenche quichon
loujaïne quichon
kenbougoue quichon
gary quichon
2
buster quichon
sébastien quichon
théodora quichon
ruchélé quichon

perceval quichon
marlaquette quichon
jon quichon
billy quichon
camille quichon
david quichon
isaac quichon
enriquetta quichon
dominique quichon
marie-ange quichon
tristan quichon
anna quichon
zachary quichon
iris quichon
babakar quichon
olive quichon
florence quichon
édith quichon
carole quichon
mica quichon
hermès quichon
erge quichon
noémie quichon
henri quichon
sacha quichon
gwendoline quichon
marthe quichon
bertrand quichon
the quichon
vladimir quichon
gloria quichon
rabiatou quichon
shirine quichon
casimir quichon
pierre-émilien quichon